Inhalt:

Rechtliche Hinweise

Die Informationen in diesem Werk spiegeln die Sicht des Autors aufgrund eigener Erfahrungen zum Zeitpunkt der Veröffentlichung dar. Bitte beachten Sie, dass sich gerade im Internet die Bedingungen ändern können.
Sämtliche Angaben und Anschriften wurden sorgfältig und nach bestem Wissen und Gewissen ermittelt. Trotzdem kann von Autor und Verlag keine Haftung übernommen werden, da (Wirtschafts-) Daten in dieser schnelllebigen Zeit ständig Veränderungen ausgesetzt sind.
Insbesondere muss darauf hingewiesen werden, dass sämtliche Anbieter für ihre Angebote selbst verantwortlich sind. Eine Haftung für fremde Angebote ist ausgeschlossen. Gegebenenfalls ist eine Beratung bei einem Anwalt, Wirtschafts- oder Steuerberater angeraten.

Lektorat, Textbearbeitung, Satz: Manuela Mossell
Quellen: tv14 – 21/18

Herstellung und Verlag: BoD - Books on Demand
ISBN: 978-3-7494-4592-9

Sprachregelung:
Zur Vereinfachung beim Schreiben und Lesen wird immer die männliche Form verwendet: der Leser, der Gründer usw. Dieser Artikel dient als allgemeiner Gattungsbegriff und schließt weibliche Personen automatisch mit ein.

Begrüßung

Herzlich willkommen, lieber Leser,
zuallererst will ich Ihnen gratulieren, dass Sie sich für dieses Handbuch entschieden haben. Denn das sagt mir, Sie wollen in Ihrem Leben eine Veränderung bewirken.
Durch gründliche Recherche und persönliche Erfahrungen ist dieses Handbuch entstanden. Es enthält praktische Tipps, um das bestmögliche aus dem zu machen, was Sie bereits zur Verfügung haben.
In diesem Handbuch geht es darum, wie Sie mit ein paar ganz einfachen Tipps mehr von Ihrem monatlichen Einkommen übrig haben. Auch erkläre ich Ihnen, wie Sie Ihren Körper in Form bringen können, ohne eine teure Mitgliedschaft in einem Fitness-Studio oder eine noch kostspieligere Schönheitsoperation bezahlen zu müssen.

Und nun viel Spaß beim Lesen.

Kapitel 1

Spartipps im Haushalt

Kennen Sie das auch? Es ist erst Monatsmitte und Ihre Kasse ist schon fast leer? Beim Sparen im Haushalt geht es darum, bewusst mit Ihren Ressourcen umzugehen.
Durch jahrelange, praktische Erfahrung ist es mir gelungen, mit ein paar sehr einfachen Tipps mehr aus meinem monatlichen Einkommen rauszuholen.
Damit Sie das auch schaffen, kommen hier die besten Tipps, damit Sie Ihren Haushalt sparsam führen können:

- Sammeln Sie kaltes Wasser, bis es heiß kommt

Die Stiftung Warentest hat gemessen, dass ca. 15 Liter Wasser ungebraucht den Abfluss runterlaufen, bis heißes Wasser kommt. Sammeln Sie das Wasser. Sie können dann damit z.B. Ihre Pflanzen gießen oder die Toilette runterspülen. Das senkt den Wasserverbrauch um ein Vielfaches, was natürlich auch bedeutet, Sie senken Ihre Wasserkosten deutlich.

- Greifen Sie zum Zahnputzglas!

Warentester haben auch hier ermittelt, dass rund 12 Liter Wasser pro Tag ungenutzt im Ausguss verschwinden, wenn Sie das Wasser beim Zähneputzen Laufen lassen. Übrigens gilt das auch für die Nassrasur.
(Quelle: tv14 – 21/18)

- Lassen Sie beim Duschen das Wasser nur vor und nach dem Einschäumen laufen

Sie können ganz normal duschen. Drehen Sie das Wasser nur ab, während Sie sich einschäumen. Auf diese Weise senken Sie den Wasserverbrauch auch gewaltig (siehe oben) und natürlich damit auch die Wasserkosten.

- Bringen Sie ein Gewicht im Toilettenkasten an!

Mit so einem Gewicht im Spülkasten läuft das Wasser nur, wenn Sie die Spülung betätigen. So läuft sehr viel weniger Wasser in den Abfluss. Solche Gewichte gibt es in jedem Baumarkt schon für ein paar Euro. Lassen Sie sich doch einfach im Baumarkt beraten.

- Bauen Sie Wassersparadapter ein!

Solche Wassersparadapter regeln die Wassermenge, die aus dem Wasserhahn kommt. Derart kommt bei normaler Benutzung nur ungefähr die Hälfte Wasser aus dem Hahn heraus.
Auch dieses Gerät bekommen Sie in jedem Baumarkt schon für ein paar Euro. Die meisten brauchen Sie nur zwischen den Wasserhahn und das Auslaufsieb zu schrauben (sehr einfache Montage).

- Bringen Sie Ihren Wasserhahn zum Schweigen!

Aus einem Wasserhahn, aus dem pro Sekunde ein Tropfen Wasser rausfällt, laufen am Tag ca. 17 Liter Wasser einfach so in den Abfluss. In einem Jahr werden so 6000 Liter Wasser und somit 18 Euro verschwendet. Tauschen Sie regelmäßig die Wasserhahn-Dichtung aus.

- Waschen Sie nur bei voller Ladung!

Eine volle Waschmaschine wäscht am günstigsten. Nutzen Sie die Trommelgröße Ihrer Waschmaschine voll aus. Damit können Sie die Waschladungen jährlich von 300 Wäschen auf 240 Wäschen reduzieren. Das spart Ihnen bis zu 35 Euro im Jahr.

- Stellen Sie Ihre Wasch- und Spülmaschine auf Kurzwaschprogramm ein!

Neuere Wasch- und Spülmaschinen sind alle mit einem Kurzwaschprogramm ausgestattet. Waschen Sie leicht verschmutzte Kleidung auf niedriger Temperatur. Befüllen Sie Ihre Wasch- und Spülmaschine mit der Füllmenge, die der Hersteller der Geräte empfiehlt.
Geben Sie zu jeder Wasch- und Spülladung neben dem Wasch- und Spülmittel einen Wasserenthärter dazu. Damit sparen Sie Zeit, Geld, Wasser, Energie und Nerven, da Ihre Geräte länger halten.

- Senken Sie mit dem Staubwedel Ihre Stromkosten!

In den Kühlrippen Ihres Kühlschrankes setzt sich jede Menge Staub an. Denn Staub wird von Elektrogeräten wie magisch angezogen. Die Folge daraus: Ihr Kühlschrank wird seine Abwärme nicht mehr los und verbraucht damit rund 10 Prozent mehr Strom als eigentlich nötig. Wischen Sie einmal im Jahr die Kühlrippen Ihres Kühlschrankes und sparen somit bis zu 20 Euro.
(Quelle: tv14 -21/18)

- Enttarnen Sie verschwenderische Töpfe!

Unebene Topf- und Pfannenböden haben einen geringeren Kontakt zu Ihrer Herdplatte und verbrauchen damit bis zu 40 Prozent mehr Energie. Stellen Sie ganz einfach fest, ob die Böden Ihrer Töpfe und Pfannen uneben sind, indem Sie ein Lineal an die Böden anlegen.
(Quelle: tv14 – 21/18)

- Bücken Sie sich beim Einkaufen öfter!

Studien haben belegt: Der gleiche Artikel verkauft sich in Kniehöhe aufgestellt 30-mal, in Hüfthöhe 70-mal und in Augenhöhe 100-mal. Die teuren Produkte befinden sich deshalb in vielen Supermärkten in Augenhöhe – die günstigeren auf den unteren Regalen. Sie sehen, es lohnt sich, sich zu bücken. Bedenken Sie immer: Bequemlichkeit kostet Geld!
(Quelle: tv14 – 21/18)

- Fallen Sie nicht auf falsche Sonderangebote herein!

Die Gratis-App „Sparpionier“ filtert aus zahlreichen Prospekten der Supermärkte und Discounter „falsche“ Sonderangebote heraus und listet Ihnen die echten Preisknüller auf! Das ist sinnvoll, weil sich nicht alles als Sonderangebot herausstellt, was in der Werbung als solches angepriesen wird.

- Schreiben Sie eine Einkaufsliste!

So eine Liste können Sie nach und nach erstellen. Immer, wenn Sie sehen, dass Ihnen etwas ausgeht, schreiben Sie den Artikel auf. Damit ist die Wahrscheinlichkeit höher, dass Sie nur das kaufen, was Sie auch brauchen. Sie werden selbst sehen, dass Sie nicht mehr so viel Geld für unnötige Sachen ausgeben werden.

- Enttarnen Sie räuberische Armaturen!

Einhebel-Mischarmaturen an Ihrem Waschbecken enthalten eine teure Falle! Sie fragen sich jetzt, warum das so ist. Ganz einfach: Wenn Sie den Hebel in die Mitte schieben, wird Ihr Wasserboiler automatisch aktiviert, obwohl Sie gar kein warmes Wasser brauchen. Wenn Sie vorhaben, nur wenig Wasser zu verbrauchen, dann stellen Sie den Hebel auf die Kaltwassereinstellung.

- Denken Sie an das Flusensieb!

Wenn das Flusensieb nicht regelmäßig gereinigt wird, kann auch ein sparsamer Wäschetrockner übermäßig Strom verbrauchen. Messungen haben ergeben: Der Stromverbrauch steigt dann um bis zu 10 Prozent. Indem Sie das Flusensieb regelmäßig reinigen, sparen Sie ca. 30 Euro im Jahr.

- Stoppen Sie Kalk!

Sie sollten Elektrogeräte, wie Wasserboiler, Eierkocher, Wasserkocher oder Kaffeemaschinen regelmäßig entkalken. Denn, wenn die Heizstangen verkalkt sind, dauert das Erhitzen des Wassers länger und der Stromverbrauch wird dadurch um bis zu 50 Prozent höher. Zum Entkalken solcher Geräte eignet sich Essigessenz hervorragend. Und hier sparen Sie gleich noch einmal. Essigessenz ist um ein vielfaches günstiger als chemische Entkalker und außerdem erzielen Sie damit einen wesentlich höheren Erfolg.

- Garen Sie Gemüse mit Dampf!

Wenn Sie Kartoffeln oder Gemüse statt mit 1 Liter Wasser nur mit 0,1 Liter Dampf garen, müssen Sie weniger Wasser erwärmen und sparen bei einem Strompreis von 30 Cent/kWh und bei täglichem Kochen ca. 10 Euro im Jahr.

- Beachten Sie beim Staubsaugerkauf die Wattzahl!

Ein 900-Watt-Staubsauger bewirkt bei täglich 15 Minuten Staubsaugen Stromkosten in Höhe von 22,78 Euro. Ein 2000-Watt-Gerät dagegen 50,64 Euro. Damit sparen Sie im Jahr 27,86 Euro. Sie sehen also, es lohnt sich, zu vergleichen. (Quelle: tv14 – 21/18)

- Kochen Sie schlauer!

Das Backen und Kochen macht in einem 5-Personen-Haushalt etwas mehr als 8,5 Prozent des Stromverbrauchs aus – und gerade im Herbst und Winter werden Eintöpfe und Braten häufiger zubereitet, als im Frühling und Sommer. Kochen Sie solche Speisen in einem Schnellkochtopf und sparen somit bis zu 50 Prozent der Energiekosten. Übrigens gibt es Schnellkochtöpfe auch in kleinen Größen für Single-Haushalte.

- Achten Sie auf die richtige Topfgröße!

Sie können beim kochen eine optimale Wärmeübertragung erreichen, indem Sie darauf achten, dass der Topfdurchmesser auch dem Durchmesser der Herdplatte entspricht. Denn jeder Zentimeter, den der Topf kleiner als die Herdplatte ist, führt zu 20 – 30 Prozent mehr Energieverbrauch.

- Zähmen Sie Ihren gierigen Wäschetrockner!

Schleudern Sie Ihre Wäsche mit mindestens 1200 Umdrehungen/Minute. Damit ist Ihre Wäsche schon etwas trockener und der Trockner benötigt nur etwa 75 Minuten für fünf Kilo Wäsche. Wenn Sie im Gegensatz dazu Ihre Wäsche nur mit 1000 Umdrehungen in der Minute schleudern, läuft Ihr Trockner dann über eineinhalb Stunden.

- Machen Sie Ihrem Kühlschrank ein Kältegeschenk!

Tauen Sie Eingefrorenes stets im Kühlschrank auf. Damit stellen Sie sicher, dass Ihr Gefriergut auf keinen fall zu warm wird und Sie sparen bis zu drei Euro Kühlenergie im Monat.

- Kaufen Sie keine XXL-Packungen!

Waren in kleineren Verpackungen sind oft günstiger als Großpackungen. Diesen Vergleich können Sie der Grundpreisangabe im Regal oder auf den Schilder entnehmen. Dort muss nämlich der Kilo-bzw. der Literpreis oder der Stückpreis angegeben sein. Das ist gesetzlich so festgelegt. Sie erzielen so eine Preisersparnis von ca. 30 Prozent.

- Kochen Sie stets mit Topfdeckel!

Sie verbrauchen beim Kochen ohne einen Topfdeckel etwa dreimal soviel Energie wie beim Kochen mit Topfdeckel. Experten bei Vattenfall, dem Stromanbieter, haben errechnet, dass Sie so rund 30 Euro im Jahr sinnlos verheizen.

Spartipps für Shopping und Freizeit:

Sie wollen für kleines Geld einen tollen Urlaub genießen? Sie wollen bis zu 50 Prozent bei Haushalts- und Hightech-Geräten sparen? Mit diesen einfachen Tipps finden Sie echte Schnäppchen!

- Verreisen Sie zu absoluten Niedrig-Preisen!

Auf der Internetseite urlaubspiraten.de werden Sie automatisch auf Ihrem Smartphone per Push-Benachrichtigung über Hammerpreise informiert. Diese Seite sucht immer nach günstigen Reisezielen. Auf diese Art können Sie z.B. einen Kurztrip nach Budapest mit Flug für 50 Euro oder eine Woche Kalabrien für 279 Euro Halbpension im Viersternehotel bekommen.
(Quelle: tv14 -21/18)

- Fliegen Sie am günstigsten!

Laut einer Studie von dem Reiseportal Expedia.de sind die Preise für Flüge exakt 57 Tage vor Abflug am günstigsten. Bei internationalen Flügen sollten Sie 171 Tage im Voraus buchen. Wenn Sie es nicht zum besten Zeitpunkt schaffen, dann gilt: Buchen Sie Flüge und Hotels Dienstag, denn da sind sie am günstigsten.
(Quelle: tv14 -21/18)

- Sparen Sie 800 Euro und mehr beim Buchen einer Spitzen-Kreuzfahrt!

Schauen Sie sich erst auf der Internetseite www.rabatt-schiff.de um, bevor Sie eine Kreuzfahrt buchen. Glauben Sie mir: Es lohnt sich. Auf dieser Seite finden Sie Preissenkungen bis zu 30 Prozent. Damit sparen Sie z.B. für 10 Tage von Spanien nach Portugal bis zu 846 Euro.
(Quelle: tv14 – 21/18)

- Genießen Sie Ihre eigene Stadt günstiger!

Wenn Sie am Wochenende etwas unternehmen möchten, finden Sie auf www.groupon.de viele Schnäppchen-Angebote. Mit so einem Rabatt-Coupon können Sie z.B. für ein Vier-Gänge-Menü ca. 30 Euro sparen als ohne Coupon. Oder Sie können sich eine Wellness- Behandlung um 60 Euro günstiger genehmigen.

- Verkaufen Sie Gebrauchtes zu top-Preisen!

Im Internet gibt es für (fast) alles eine Seite. Ich nenne Ihnen nun ein paar Beispiele, wo Sie Ihre gebrauchten Sachen zu Spitzen-Preisen verkaufen können: Für Smartphones & Co. eignen sich am besten www.wirkaufens.de oder www.rebuy.de. Für Werkzeuge ist www.dhd24.com empfehlenswert. Einige Firmen kaufen auch Geschirr – so z.B. www.porzellanankauf.com. Für Möbel eignet sich zum Beispiel ebay-kleinanzeigen.de.

- Nonstop Schnäppchen-Alarm!

Die Internetseite www.mydealz.de informiert Sie über Angebote aus den Bereichen Elektronik, Fashion und Haushalt. Da alle Angebote bewertet werden, erfahren Sie auch, wo sich das Zugreifen lohnt. Sie erfahren z.B. welche Top-Kameras um 100 Euro günstiger sind oder welcher Fernseher um 25 Prozent reduziert ist.
(Quelle: tv14 – 21/18)

- Prüfen Sie Ihre Dispo-Zinsen!

Einige Banken berechnen bis zu 13,75 Prozent, wenn Sie Ihr Konto überziehen, statt der durchschnittlichen Dispozinsen von 9,72 Prozent, die laut einer aktuellen Prüfung der Stiftung Warentest gelten. Falls Sie zu viel Zinsen für die Kontoüberziehung bezahlen, wechseln Sie Ihre Bank.

- Kontrollieren Sie regelmäßig Ihre Kontoauszüge!

Auf diese Art können Sie ganz einfach feststellen, wie viel Sie im Monat eingenommen haben und wie viel Sie ausgegeben haben. Außerdem können Sie Geld, das irrtümlich Abgebucht wurde, bei Ihrer Bank wieder zurückholen lassen.

- Stellen Sie Ihren Zahlungs-Rythmus um!

Wenn Sie Ihre Versicherungsbeiträge vierteljährlich zahlen, geben Sie rund fünf Prozent mehr als nötig aus. Bei jährlicher Zahlungsweise (z.B. bei einer durchschnittlichen KfZ-Versicherung) sparen Sie bereits 30 Euro.(Quelle: tv14 – 21/18)

- Drucken Sie Ihre Urlaubsfotos auf Papier zum Sparpreis aus!

Falls Sie Papierabzüge über das Internet ordern, bezahlen Sie für das Format 10x15 z.B. bei www.pixum.de, www.cewe.de oder www.lidl-fotos.de nur 8 Cent, gegenüber dem Preis von 90 Cent, wenn Sie Ihre Bilder selbst ausdrucken.

- Kaufen Sie nie mit dem Smartphone im Internet ein!

Online-Händler können wirklich auslesen, über welche Software oder auf welchem Gerät Sie auf eine Webseite kommen. Tätigen Sie eine Bestellung über Ihr Smartphone, wird der gleiche Artikel teurer. Die Ursache hierfür ist ganz einfach: Die Händler gehen davon aus, dass Smartphone-Kunden weniger gut vergleichen, weil sie angeblich mehr in Eile sind. Laut der Verbraucherzentrale NRW liegen die Preise für iPhone- und iPad-Besitzer besonders hoch.

- Schnäppchen-Kauf bei Ebay…

Bekommen Sie ganz einfach mit dem Tippfehler-Trick! Schreiben Sie Ihre Suchbegriffe mit Rechtschreibfehler und Sie dürfen auf echte Schnäppchen hoffen. In den Angebotsbeschreibungen verstecken sich oft unglaubliche Tippfehler, die dafür sorgen, dass die Begriffe bei einer normalen Suche innerhalb der Auktionsbörse gar nicht erscheinen. Als Folge daraus werden weniger Gebote abgegeben und der Preis bleibt niedriger.

- Verpassen Sie Ihrem Make-up eine Frischekur!

Lagern Sie Nagellack kühl, dann bleibt er länger haltbar. Ein Kajalstift bricht beim Anspitzen nicht ab und hält damit länger, wenn Sie Ihn vor dem Benutzen in den Kühlschrank legen. Wenn Sie eingetrocknete Wimperntusche für zwei Minuten in heißes Wasser legen, können Sie sie wieder ohne weiteres verwenden.

- Enttarnen Sie geheime Zwillinge!

Auf der Internetseite www.wer-zu-wem.de finden Sie eine Liste all der Hersteller, die sogenannte No-Name-Produkte produzieren. No-Name-Produkte sind günstige Eigenprodukte der verschiedenen Supermärkte, die von Namhaften Herstellern kommen. Auf diese Weise können Sie z.B. Butter, Kekse, Sekt oder andere Produkte mit einer Spitzenqualität zum niedrigen Preis bekommen.

- Kaufen Sie Backwaren um 50 Prozent günstiger!

Manche Wochen- und Supermärkte bieten Obst und Gemüse kurz vor Ladenschluss günstiger an, damit die Waren doch noch verkauft werden. Auf diese Art können Sie auch bei einigen Bäckern Brot und Kuchen mit einem erheblichen Preisvorteil erwerben. Fragen Sie einfach in den Läden nach.

- Überprüfen Sie Versicherungstarife!

Mit der Kündigung unnötiger Versicherungen sparen Sie am einfachsten. Viele Versicherungen sind viel zu teuer und helfen nur in den wenigsten Fällen. Dazu gehören Insassenunfall- und Restschuldversicherungen, Sterbegeld-, Handy-, Reiserücktritts- oder Brillenversicherungen. Paare in eheähnlicher Gemeinschaft oder Ehepaare brauchen nur eine Haftpflichtversicherung, da der Partner automatisch mitversichert ist.

- Bezahlen Sie Bar und geben so fast 500 Euro weniger im Jahr aus!

Bei regelmäßiger Kartenzahlung verlieren Sie den Überblick über Ihre Ausgaben, da Ihnen gar nicht bewusst ist, wie viel Geld Sie wirklich ausgeben. Bei Barzahlung sparen Sie bis zu zehn Prozent, was Ihnen eine Ersparnis von ungefähr 500 Euro einbringt.

- Googeln Sie Gutscheine!

Geben Sie bei Google den Herstellernamen und dazu das Wort „Gutschein" oder „Rabatt" ein, bevor Sie etwas im Internet bestellen. Sehr oft finden Sie auf diese Weise Rabatt-Codes, die Ihnen eine Ersparnis von bis zu 20 Prozent einbringen.

Spartipps für Heizkosten und Energie

Viele Haushalte verbrauchen vor allem Heizkosten und Strom. Erfahren Sie, wie Sie Wärmequellen optimal ausnutzen können und wie wirksam Wärmedämmung auch im kleinen Rahmen ist.

- Verheizen Sie beim Lüften keinen Euro!

Sie sollten bis zu dreimal am Tag für zehn Minuten stoßlüften, anstatt die Fenster nur zu kippen. So können Sie für das beste Raumklima sorgen. Allerdings sollten Sie in dieser Zeit Ihre Heizkörper auf Null drehen, da sich sonst das Thermostat auf Höchstleistung schaltet. Je nach Wohnungsgröße können Sie so pro Jahr bis zu 75 Euro einsparen.

- Genießen Sie Weihnachtszauber für kleines Geld!

Wie Energie-Experten ausgerechnet haben, verbrauchen zwei herkömmliche Weihnachts-Lichterketten (je 10 Meter das Stück) in sechs Wochen rund 30 Euro Strom, wenn sie täglich für 12 Stunden eingeschaltet sind. LED-Lichterketten verbrauchen dagegen 80 Prozent Energie, was Ihnen eine Ersparnis von 24 Euro im Jahr einbringt.

- Lassen Sie LED-Lampen brennen!

LED-Lampen verbrauchen beim Einschalten ungefähr das zehnfache an Energie, als wenn sie normal leuchten. Daher ist es besser, Sie lassen das Licht an, wenn Sie nur für ein paar Minuten den Raum verlassen.

- Lassen Sie kein Geld verpuffen!

In vielen Wohnungen und Häusern sind Heizungs- und Warmwasserrohre nicht isoliert. Für jeden freiliegenden Meter verpuffen bis zu 15 Euro an Heizkosten im Jahr. Das macht bei 22 Metern Heizungsrohr 335 Euro aus. Sie sehen selbst, dass das eine Menge Geld ist. In jedem guten Baumarkt bekommen Sie das richtige Dämm-Material.

- Verrücken Sie Ihre Möbel!

Um Platz effektiv auszunutzen, stehen meistens Sofas und Schränke direkt an der Wand. Weil die Luft nicht zirkulieren kann, ist das ein teurer Fehler. Sie sparen im Jahr pro Zimmer acht Euro, wenn Sie Ihre Möbel ca. eine Handbreit von den Wänden vorrücken.

- Senken Sie die Luftfeuchtigkeit und sparen dadurch 30 Prozent!

In Ihrer Wohnung ist eine Luftfeuchtigkeit von 55 Prozent optimal. Es kostet ein drittel mehr Heizkosten, um eine Raumtemperatur von 22°C aufrechtzuhalten, wenn die Luftfeuchtigkeit auf 70 Prozent steigt. Sie erhalten Geräte, die die Luftfeuchtigkeit messen, schon ab vier Euro, Geräte zur Luftentfeuchtung schon für 15 Euro. Beides erhalten Sie im Baumarkt.

- Haben Sie mehr Geld in der Tasche, indem Sie Ihre Vorhänge zuziehen!

Schließen Sie nachts immer Ihre Jalousien, Rollos und Vorhänge, denn sie haben eine immense Isolierwirkung. Damit sparen Sie im Jahr für jedes Fenster 40 Euro.

- Enttarnen Sie heimliche Stromfresser!

Solange Akkubetriebene an die Stromversorgung angeschlossen sind, ziehen sie ununterbrochen Strom. Daher sollten Sie schnurlose Telefone und auch Ihr Handy erst dann wieder zum Aufladen anhängen, wenn die Akkus in diesen Geräten beinahe leer sind.

- Gehen Sie offline!

Sie sollten immer offline gehen, sobald Sie keine aktive Internetverbindung mehr brauchen, z.B. nachts oder wenn Sie für ein paar Tage wegfahren. Denn der WLAN-Router verbraucht bei einem Preis von 30 Cent/kWh ungefähr 25 Euro im Jahr. Schalten Sie das WLAN über den entsprechenden Button von Hand ein und aus.

- Gehen Sie mit Ihrer Spielekonsole auf Sparkurs!

Wechseln Sie beim Zocken doch öfter mal auf Ihr Smartphone. Sie verbrauchen ca. 60 Euro Strom im Jahr, wenn Sie täglich etwa 3 Stunden mit Ihrer PS3-Kondole spielen. Dieser Betrag entsteht durch den Verbrauch von 188,6 Watt.

- Sparen Sie Strom durch überprüfen der Netzteile!

Deckenfluter mit Fußdimmer verbrauchen auch dann Strom, wenn sie gar nicht brennen. Wenn die Netzteile warm sind, obwohl Sie Ihr Gerät ausgeschaltet haben, heißt das, dass hier sinnlos Strom verbraucht wird. Denn der Transformator bedient sich weiter an der Steckdose. Hängen Sie das Gerät an eine Steckdosenleiste mit Schalter oder ziehen Sie gleich den Netzstecker, wenn Sie den Fluter nicht mehr brauchen.

- Nutzen Sie die Restenergie von Batterien!

Batterien landen im Müll, wenn ihnen der Saft ausgeht. Sehr oft sind noch rund 30 Prozent Restenergie in den Batterien enthalten. Der Grund dafür ist ganz einfach: Viele Geräte wie zum Beispiel Digitalkameras entladen Batterien nur unzureichend. Wenn eine Batterie zu wenig Energie für Ihre Digicam hat, kann sie trotzdem noch ein anderes Gerät, wie z.B. eine Fernbedienung oder eine Waage noch für mehrere Monate betreiben. Damit sparen Sie bis zu zehn Euro im Jahr, weil Sie nicht mehr so oft neue Batterien kaufen müssen.

Kapitel 4

Bringen Sie Ihren Körper in Form

Wie versprochen, komme ich nun zum nächsten Punkt. Wie Sie vielleicht selbst wissen, befinden wir uns im Fitness-Zeitalter. Sie haben bestimmt auch schon die eine oder andere Werbung von Fitness-Studios oder gesunder Ernährung gesehen, oder?
Nun sind aber ein Besuch in der Muckibude und gesund Kochen meistens eine sehr kostspielige Angelegenheit, die obendrein auch noch sehr Zeitaufwendig sind, stimmt es?
Und mahl ganz ehrlich: Wie oft haben Sie sich schon vorgenommen, etwas für Ihren Körper zu tun und haben es dann aber aus verschiedenen Gründer wieder vor sich her geschoben.
Glauben Sie mir, ich verstehe Sie sehr gut. Ich persönlich war noch nie in einem Fitness-Studio oder habe noch nie eine Diät durchgehalten. Dazu später noch mehr.

Als Erstes will ich Sie beglückwünschen. Jetzt fragen Sie sich bestimmt, warum das denn. Noch haben Sie doch gar nichts gemacht, stimmt es? Falsch, Sie haben sich entschieden, etwas zu ändern, damit Sie einen straffen Körper bekommen. Andernfalls würden Sie dieses Buch nicht lesen!
Der menschliche Körper ist ein Wunderwerk der Evolution. Sie können mit Ihrem Körper wahre Wunderdinge erledigen. Ihr Körper ist so aufgebaut, dass er mit ein wenig Nahrung und reichlich Wasser auskommt, um Ihnen zu dienen.
Sie haben nun ein gewisses Grundwissen über Ihren

- Wie funktioniert Ihr Körper?

Um zu wissen, wie Ihr Körper funktioniert, müssen Sie Ihren Körper kennen. Ihr Körper lässt sich in mehrere Teile aufgliedern. Da sind zunächst einmal Ihre inneren Organe (auf die ich nur am Rande eingehen will). Sie wissen wahrscheinlich selbst, welche Organe Sie haben.
Wie bei jedem anderen Menschen auch bestehen Ihre inneren Organe aus Gehirn, Herz, Lungen, Leber, den Nieren, Milz und dem Verdauungsapparat. Damit diese Organe das tun können, für was sie gedacht sind, müssen diese Organe mit Nährstoffen, die Sie mit Ihrer Nahrung aufnehmen, versorgt werden.
Ihr Körper besteht aber auch aus Haut, Knochen, Muskeln, Gelenken, Sehnen, Bändern, Blutbahnen und Nerven. Auch diese sind auf die Nährstoffe aus Ihrer Nahrung angewiesen, um richtig arbeiten zu können. Dazu komme ich später noch genauer.

- Wie arbeitet Ihr Körper?

Ich will hierzu einen kleinen Vergleich machen. Stellen Sie Sich ein Auto vor. Was benötigt Ihr Auto, um zu fahren? Richtig, es braucht Treibstoff (in diesem Falle Benzin oder Diesel). Der Treibstoff wird im Motor verbrannt und sorgt so für Bewegung. Genauso ist das bei Ihrem Körper. Sie nehmen Nahrung auf und Ihr Körper funktioniert.

- Das richtige Maß:

Ihr Körper ist nur dann richtig einsatzfähig, wenn Sie nur so viel Energie aufnehmen, wie Sie verbrauchen. Sie wissen selbst, was ansonsten passiert. Na, ahnen Sie es? Sie lagern die Energie in Form von Fett ein, was meistens ein ärgerlicher Nebeneffekt ist.

Das ist ein absolut notwendiges Vorgehen. Ihr Körper schütz sich auf diese Art vor einer Hungersnot. Bei unseren Vorfahren, die noch in Höhlen lebten, war das unbedingt Lebensnotwendig. Denn die wussten nicht, wann sie das nächste Mal satt wurden.

- Nun komme ich zum Wesentlichen:

Sie wissen jetzt so ungefähr, um was es in diesem Ratgeber geht. Zu meiner Schande muss ich gestehen, dass ich schon als Kind übergewichtig war. Das hat sich dann auch als Teenager fortgeführt bis ins Erwachsenenalter.
Ich habe erst vor ca.2 Jahren begonnen, mich mit dem Thema Körper und Ernährung auseinander zu setzen. Der Ausschlag dazu war eine Bemerkung meines Mannes, dass ich ganz schön in die Breite gegangen bin. Autsch, das tat weh.

- Wie alles anfing:

Eines Tages stand ich vor meinem Schlafzimmerspiegel und habe bemerkt, wo überall mein Körper wabbelig war. Hand aufs Herz, kommt Ihnen das auch bekannt vor? Ich sage Ihnen, ich habe mich vor mir selbst geschämt. Wenn es Ihnen genauso geht, habe ich eine gute Nachricht für Sie. Es gibt einen Ausweg!
Ihnen geht es bestimmt so wie mir. Ich persönlich habe noch nie eine Diät durchgehalten. Doch dazu komme ich später. Wahrscheinlich haben auch Sie weder die Zeit noch das Geld, geschweige denn die Lust, dreimal die Woche ins Fitness-Studio zu gehen.
Glauben Sie mir, bevor ich anfing, mich um meinen Körper zu kümmern, brauchte ich Kleidergröße 44-46. Jetzt, zwei Jahre später, trage ich Kleidergröße 40-42. Ich weiß, das hört sich nicht gerade überwältigend an, aber für mich ist das ein

wichtiger Fortschritt. Nur Mut, wenn ich das geschafft habe, dann können Sie das erst recht schaffen.

- Der Ausweg:

Es gibt Wege, wie Sie Ihren Traumkörper bekommen, ohne sich halb zu Tode zu hungern oder schwere Gewichte zu stemmen. Und einem Schönheits-Chirurgen brauchen sie sich auch nicht auszusetzen. Sie fragen sich jetzt bestimmt, wie das gehen soll. Ich will Sie nicht länger auf die Folter spannen. Legen wir los!

- Verzichten Sie auf Crash-Diäten!

Ist Ihnen schon einmal aufgefallen, wie viele Diäten es gibt? Egal, welche Zeitschrift Sie aufschlagen, in jeder einzelnen wird wieder eine neue Diät vorgestellt. Da gibt es die unterschiedlichsten, und manchmal auch absurdesten Diäten. Ich kenne mich da nicht im Detail aus, da ich persönlich nichts von Diäten halte.

Wissen Sie eigentlich, warum fast keine Diät auf Dauer funktioniert? Wenn Sie Ihre Nahrungsaufnahme reduzieren, passt sich Ihr Körper daran an. Sobald Sie nach der Diät wieder normal essen, kann sich Ihr Körper gar nicht schnell genug umstellen. Dann legt Ihr Körper quasi einen „Notvorrat“ in Form von gespeichertem Fett an, um solchen Nahrungsverknappungen vorzubeugen. Das nennt die Wissenschaft im Allgemeinen den „Jojo-Effekt“. Ihr Körper hat sein persönliches Wohlfühl-Gewicht.

- Essen Sie, wenn Sie hungrig sind!

Kennen Sie die Snickers-Werbung, wo ein paar japanische Krieger eine Mission vorhaben und einer sieht aus und verhält sich wie Mr. Bean? Sie wissen schon, wo der Anführer den Bean-Verschnitt dazu anhält, er soll ein Snickers essen, weil er nicht er selbst ist, wenn er Hunger hat. Okay, ein Schokoriegel ist keine gute Wahl. Aber das mit dem Hunger stimmt schon. Ihr Körper fühlt sich nur dann Wohl, wenn er satt ist. Vielleicht werden Sie genauso wie ich launisch, wenn Ihr Magen knurrt. Ihr Körper ist darauf ausgelegt, Nahrung zu verwerten, um Energie für Ihre Muskeln und Organe zu liefern. Also lassen Sie Ihren Körper seine Arbeit machen.

- Achten Sie auf den Geschmack!

Damals, in der Steinzeit, haben unsere Vorfahren gegessen, um zu überleben. In unserer heutigen Gesellschafft geht es beim Essen nicht mehr ums nackte Überleben! Vielmehr geht es um den Genuss! Deshalb kochen wir unser Essen und würzen es mit allerhand, zum Teil exotischen Gewürzen. Beim Essen sollten Sie nur so lange weiter essen, so lange Sie es genießen. Sobald Sie merken, dass das Essen für Sie kein Genuss mehr ist, hören Sie auf zu Essen.
Um diesen Zeitpunkt herauszufinden werden Sie etwas Übung brauchen. Die Erfahrung, wann Sie genug gegessen haben, erfordert nur etwas Selbstbeobachtung. Garantiert essen Sie dann nur so viel, wie Ihr Körper braucht.

- Kauen Sie Ihr Essen gründlich!

Ihnen geht es wahrscheinlich so wie mir früher, Sie schlingen Ihr Essen in sich hinein, weil Sie denken, dass Sie keine Zeit haben. Nun ist es aber so, wenn Sie Ihr Essen schlingen,

„essen“ Sie nicht nur viel Luft mit, was zu einem unangenehmen Völlegefühl führt. Sie erschweren auch Ihrem Körper die optimale Verarbeitung der Nahrung.
Und was viele Menschen gar nicht wissen, die Verdauung beginnt bereits im Mund mithilfe bestimmter Verdauungsenzymen. Diese Enzyme werden beim Kauen durch die Ausschüttung von Speichel aus der Ohrspeicheldrüse freigesetzt. Dabei ist es auch hilfreich, nur kleine Bissen in den Mund zu schieben, damit der Speichelfluss im Mund aufrecht erhalten bleibt.
Wie Sie sicher selbst wissen, setzt das Sättigungsgefühl etwa nach 15-20 Minuten ein. Wie gründlicher Sie Ihr Essen kauen, umso weniger Nahrung nehmen Sie in diesem Zeitraum auf. Und glauben Sie mir, Sie werden trotzdem auch in kurzer Zeit satt werden und sind am Ende der Mahlzeit zufriedener.

- Trinken Sie viel Wasser!

Sie wissen selbst, wie wertvoll Wasser ist. Die österreichische Band Krauthobel findet Wasser sogar so wertvoll, dass sie auf ihrem Album „Generator 3“ eine richtige Hommage an das Wasser besingt. Aber, ich schweife ab. Ohne Wasser wäre Leben überhaupt nicht möglich. Sogar Ihr Körper besteht zu fast 70% aus Wasser.
Von diesem körpereigenen Wasser scheiden Sie durch Urin und Schweiß wieder eine Menge davon aus. Sie brauchen Wasser, um Ihrem Blut zu ermöglichen, die Nährstoffe zu Ihren Muskeln und Organen zu transportieren. Wasser hilft Ihnen auch dabei, Ihren Körper von Giftstoffen, die in der Leber und den Nieren gefiltert werden, zu entschlacken.

Wasser ist auch der Weg, um Ihr Gehirn mit wichtigen Nährstoffen zu versorgen. Ich weiß nicht genau, wie der Körper das macht, da ich kein Arzt bin.
Wasser hat außerdem die Eigenschaft, Ihr Hungergefühl ein wenig zu stillen. Trinken Sie vor jeder Mahlzeit ein großes Glas Wasser, dann ist der Magen schon etwas gefüllt und Sie brauchen weniger Nahrung, bis Sie richtig satt sind.

- Kurbeln Sie Ihren Stoffwechsel an!

Sie denken jetzt bestimmt, wie Sie das machen sollen, da Sie doch auf Ihren Stoffwechsel keinen Einfluss haben. Diese Annahme ist ein weit verbreiteter Irrtum.
Sie wissen doch bestimmt, dass Sie ein Diesel-Auto erst einmal vorglühen müssen, bevor es anspringt. Und genau so ist das mit Ihrem Körper. Da Sie die ganze Nacht (ca. 8 Stunden) geschlafen haben, ist Ihr Körper auf „Sparmodus" gegangen, d.h. alle Funktionen, die nicht unbedingt überlebensnotwendig sind, werden auf ein Minimum heruntergefahren. Am Morgen müssen Sie quasi den Motor vorglühen, damit Sie in Schwung kommen. Und wie bei einem Diesel-Auto auch, dauert das eine gewisse Zeit.
Jetzt fragen Sie sich zu Recht, wie das gehen soll. Ganz einfach: Trinken Sie morgens direkt nach dem Aufstehen ein großes Glas Wasser. Bewegen Sie Ihren Körper, z.B. mit ein paar Dehn- und Streckübungen oder ein paar Kniebeugen. Und am wichtigsten: Frühstücken Sie eine Kleinigkeit. Selbst dann, wenn der Gedanke an feste Nahrung Übelkeit bei Ihnen auslöst. Ein Becher Joghurt reicht schon.
Sie werden schon nach kurzer Zeit spüren, wie Sie sich schon morgens fitter und besser fühlen.

- Essen Sie zum Frühstück Frühlingsquark anstelle von Butter!

Sie sollten beim Frühstück nicht auf eine kleine Menge Fett verzichten, denn Ihr Körper braucht neben Vitaminen und Kohlehydraten auch Eiweiß und Fett. In Frühlingsquark ist beides enthalten. Allerdings ist in Frühlingsquark ein wesentlich kleinerer Anteil an Fett enthalten, als in Butter. So helfen Sie Ihrem Körper, richtig in die Gänge zu kommen. Probieren Sie Frühlingsquark doch einmal und Sie werden feststellen, dass er auch sehr gut unter Wurst, Käse oder Marmelade schmeckt.

- Essen Sie zwischen den Mahlzeiten ein bisschen rohes Gemüse!

Ihr Körper braucht für eine optimale Verdauung Zellstoff. Er kann diesen Zellstoff aber nicht selbst produzieren. Deshalb sollten Sie Zellstoff in Form von rohem Gemüse essen. Dazu eignen sich prima Äpfel, roter Paprika, Karotten oder anderes festes, schwer zu kauendes Gemüse.
Sie kennen das wahrscheinlich auch: Zwischen den Mahlzeiten regt sich der kleine Hunger. Mit einem der oben genannten Obst- oder Gemüsesorten stillen Sie zum einen Ihren Hunger und zum anderen führen Sie Ihrem Körper auch den wichtigen Zellstoff zu.
Obendrein geben Sie Ihrem Körper auch noch richtig was zu tun, denn Ihr Körper verdaut nichts schwerer als Rohkost. Die Bitterstoffe, die in rohem Gemüse enthalten sind, fördern zusätzlich die Fettverbrennung in Ihrem Körper. Dabei verbrennen Sie schon beim Essen von rohem Gemüse mehr Kalorien als wenn Sie etwas Süßes naschen.

- Kochen Sie Ihr Essen selbst!

So wissen Sie ganz genau, welche Inhaltsstoffe in Ihrem Essen enthalten sind und vermeiden ganz einfach die ungewollte Aufnahme von versteckten Fetten, Zucker und anderen Dickmachern. Sie glauben mir nicht? Dann nehmen Sie sich doch einmal die Zeit und lesen die Inhaltsangabe und die Nährwerttabelle auf einem Fertiggericht.
So wie ich werden Sie entsetzt darüber sein, wie Sie regelrecht gemästet werden beim Verzehr von Fertiggerichten. Sie müssen schon ein Chemiker sein, um zu verstehen, welche Zusatzstoffe überhaupt in einem Fertiggericht enthalten sind. Ich kann die meisten Zusatzstoffe nicht einmal richtig aussprechen.
Ich weiß, dass das einen gewissen Aufwand erfordert, aber es lohnt sich. Sie werden feststellen: Die Zeit, die Sie mit dem Lesen von diversen Inhaltsstoffen verbringen, können Sie auch besser nutzen, um eine gesunde Mahlzeit selbst zu kochen. Ihnen und Ihrer Familie werden die selbstgekochten Gerichte auch viel besser schmecken, da Sie auf ungesunde oder gar schädliche Zusatzstoffe verzichten.
Glauben Sie mir! Eine Mahlzeit selbst zu koche, ist auch noch viel günstiger als Fertiggerichte oder eine amerikanische Fastfoodkette, die ich aus Datenschutzgründen lieber ungenannt lassen möchte.

- Achten Sie auf alles, was Sie essen!

Steht bei Ihnen auch immer etwas zu knabbern auf Ihrem Wohnzimmertisch? Glauben Sie mir, ich kenne das nur zu gut. Mein Mann hat immer einen Vorrat an Chips und Pralinen bei uns zu Hause. Wenn es Ihnen genauso wie mir geht, haben Sie die kleinen Verführungen auch ständig vor Augen.

Wie oft schieben Sie sich, mehr unbewusst, am Vorbeilaufen ein Stück Schokolade oder ein paar Chips in den Mund? Anstelle achtlos zuzugreifen, sollten Sie das Objekt Ihrer bewusst ansehen. Ich weiß selbst, dass das, was ich jetzt sage, echt bescheuert klingt, aber reden Sie mit Ihrer Nascherei. Fragen Sie sich selbst, ob Sie das jetzt wirklich essen wollen. Auf diese Weise verschaffen Sie sich einen Überblick über alles, was Sie außerhalb Ihrer regulären Mahlzeiten zu sich nehmen.
Wenn Sie wie gesagt vorgehen, überlegen Sie sich vielleicht zweimal, ob Schokolade jetzt wirklich sein muss. Und Sie können mir glauben, Sie werden die Kleinigkeit viel mehr genießen. Wie schon einmal erwähnt, essen Sie nur das, was Sie auch genießen können. Sie werden feststellen, dass Sie derart wesentlich weniger überflüssige Kalorien zu sich nehmen.

- Tauschen Sie Chips gegen Obst aus!

Sie wissen bestimmt selbst, es gibt nichts schöneres, als abends nach einem harten Tag gemütlich bei einem guten Film etwas zu knabbern. Nur leider enthalten Chips sehr viel Fett und genauso viel Kohlehydrate und die lagern sich in Ihrem Körper ein. Sie wissen schon, die kleinen, ungeliebten Polster an Bauch, Beinen und Po.
Ich sage immer: Eine Sekunde auf der Zunge, ein Leben lang auf den Hüften. Nun, das können Sie auch ändern. Bereiten Sie für einen gemütlichen Fernsehabend einfach ein paar Apfelschnitze und vielleicht ein paar Trauben und/oder Nüsse zum Knabbern vor.
Damit haben Sie etwas Süßes und gleichzeitig etwas Knackiges. Nach einer gewissen Umstellzeit werden Sie und Ihre Familie begeistert sein von den Knabbereien ohne

schlechtes Gewissen. Zudem werden Sie von ein bisschen Obst nicht so träge und so matt wie von Chips. Glauben Sie mir, Sie können auch besser schlafen.

- Genießen Sie Schokolade in Maßen!

Wahrscheinlich lieben Sie Schokolade genau so sehr wie ich, oder? Das ist auch überhaupt kein Problem. Sie dürfen sich gerne ab und zu ein Stückchen Schokolade gönnen. Es ist äußerst schädlich für Ihr Wohlbefinden, ganz auf Schokolade zu verzichten.
Schokolade macht glücklich. Wichtig ist dabei nur die Menge, die Sie verzehren. Betrachten Sie Schokolade als Genuss. Lassen Sie die Schokolade auf Ihrer Zunge zergehen und genießen Sie jeden Bissen. Lässt der Genuss dann nach, legen Sie die restliche Schokolade zur Seite.
Damit verhindern Sie, dass Sie die ganze Tafel Schokolade auf einmal aufessen. Sie werden dann stolz auf sich selbst sein. Und Sie werden nach einer gewissen Zeit feststellen, dass Ihre Lieblingsjeans wieder ohne Zwicken passt.

- Ersetzen Sie Cola durch Fruchtsäfte!

Sie wissen sicher aus eigener Erfahrung, wie viele Sorten Fruchtsaft es gibt. Bei Fruchtsäften haben Sie einerseits Die Auswahl, je nach Ihren Vorlieben. Andererseits enthalten Fruchtsäfte wesentlich weniger Zucker als Cola. Außerdem sind Fruchtsäfte auch noch gesund, durch die Vitamine, die sie enthalten.
Wie Sie bestimmt selbst wissen, ist Fruchtsaft ein hervorragender Durstlöscher. Für das Prickeln, das Sie vielleicht so an Cola lieben, können Sie je nach Ihrem Geschmack einfach ein wenig Mineralwasser zu Ihrem Fruchtsaft hinzu geben.

Glauben Sie mir, es gibt für heiße Sommertage keine bessere Erfrischung, als eine schöne, kalte prickelnde Fruchtsaftschorle.
Obendrein nehmen Sie viel weniger unnötige Kalorien zu sich, was damit zu erklären ist, dass Fruchtsaft in Kombination mit Mineralwasser sowieso sehr wenige Kalorien enthält. Das wirkt sich im Endeffekt positiv auf Ihren Körper aus.

- Machen Sie Ihren Eistee selbst!

Sie kennen doch bestimmt den fertigen Eistee, den es in jedem Laden im Tetra-Pack zu kaufen gibt, oder? Haben Sie schon einmal darauf geachtet, wie viel Zucker in so einem Getränk enthalten ist? Schauen Sie doch einmal auf die Inhaltsangabe und die Nährwerttabelle. Sie werden regelrecht schockiert sein, wenn Ihnen die riesige Zuckermenge bewusst wird.
Sie brauchen aber nicht auf Eistee verzichten. Ich habe da ein Rezept von meiner Mutter. Sie werden begeistert sein, wie einfach die Zubereitung von gesundem Eistee ist. Für einen Krug voll Eistee brauchen Sie fünf Tassen Tee, z.B. Pfefferminztee. Sie müssen natürlich nicht jede Tasse Tee einzeln aufbrühen.
Wenn der Tee für Ihren Geschmack richtig durchgezogen ist, lassen Sie ihn über Nacht auskühlen. Jetzt können Sie sich den Geschmack für Ihren Eistee aussuchen. Schütten Sie einfach Fruchtsaft nach Ihrem Geschmack in den nun kalten Tee. Wegen dem Verhältnis Tee zu Fruchtsaft können Sie ruhig etwas experimentieren.
Wenn Sie Ihren Geschmack getroffen haben, ist Ihr selbstgemachter Eistee perfekt. Nach Belieben können Sie auch noch ein paar Stückchen frisches Obst mit dazugeben.

Ihrer Phantasie sind hier keine Grenzen gesetzt. Geben Sie vor dem Servieren des Eistees noch ein paar Eiswürfel hinzu, und schon haben Sie eine leckere und kalorienarme Erfrischung.

- Essen Sie zu regelmäßigen Zeiten!

Ich weiß nicht, wie Ihr Tagesablauf aussieht. Das wissen nur Sie. Richten Sie sich nach Möglichkeit feste Zeiten für Ihre Mahlzeiten ein. Damit vermeiden Sie extreme Stimmungsschwankungen, die meist durch das Absinken Ihres Blutzuckerspiegels hervorgerufen werden. Wenn Sie satt sind, vermeiden Sie auch sogenannte „Fress-Attacken", die Ihnen hinterher garantiert ein schlechtes Gewissen bereiten. Und das kann dazu führen, dass Sie aus Frust noch viel mehr essen. Dadurch unterbrechen Sie diesen Teufelskreis.

- Vermeiden Sie Frustessen!

Wie vorher schon erwähnt, schaden Sie sich nur selbst mit unkontrolliertem Frustessen. Natürlich können Sie Situationen nicht vermeiden, die bei Ihnen Frust oder Stress auslösen. Sie sollten einen Weg finden, wie Sie auf angemessene Weise mit Ihrem Frust umgehen können.
Ich persönlich habe für mich festgestellt, dass es mir sehr viel besser hilft, meinen Frust zu bewältigen, wenn ich mich körperlich so richtig auspowere. Sie können z.B. ein paar Kniebeugen machen, oder wenn Sie die Zeit dazu haben, an der frischen Luft einen Spaziergang machen.
So nehmen Sie nicht nur weniger Kalorien zu sich, durch die zusätzliche Bewegung verbrennen Sie auch noch etliche Kalorien. Sie werden überrascht sein, wie gut Sie sich nach ein bisschen Bewegung fühlen. Denken Sie auch daran, wie

schlecht Sie sich nach einer Runde Frustessen fühlen. Den Unterschied werden Sie sehr schnell selbst erkennen.

- Räumen Sie Ihre Personenwaage beiseite!

Gehören Sie auch zu den Menschen, die täglich auf Ihre Personenwaage steigen müssen? Damit belasten Sie sich nur selbst. Bestimmt fragen Sie sich jetzt, wie ich das meine. Nun, überlegen Sie doch mal, wie Sie sich fühlen, wenn Sie auf der Waage stehen und feststellen, dass Sie schon wieder mehr auf die Waage bringen.
Ich will Ihnen eine Tatsache verraten: Ihre Personenwaage lügt Sie an! Sie wissen bestimmt, dass Muskeln schwerer sind als Fett. Ich komme da später noch genauer drauf zurück. Auch wenn Sie viel Wasser trinken, wirkt sich das als Gewicht auf der Waage aus.
Ich rate Ihnen daher dringend, Ihre Fortschritte mit einem Maßband zu ermitteln. Denn Fett hat gegenüber Muskeln auch wesentlich mehr Volumen (darum wabbelt Fett und Muskeln sind fest).
Glauben Sie mir, Sie werden sich sehr viel mehr darüber freuen, an Ihrem Bauch und Ihren Oberschenkeln 1-2 cm Umfang zu verlieren, anstatt sich darüber zu ärgern, dass Ihre Waage schon wieder 1-2 Kilogramm mehr anzeigt.
Handeln Sie nach dem Motto: Aus den Augen, aus dem Sinn. Wenn Sie Ihre Waage nicht sehen, haben Sie wahrscheinlich auch nicht mehr das Bedürfnis, täglich draufstehen zu müssen.

- Schlafen Sie genügend!

Wie Sie bestimmt wissen, ist genügend Schlaf lebensnotwendig. In manchen Kulturen wird Schlafentzug sogar als Foltermethode eingesetzt. Zum einen brauchen Sie

Schlaf, um sich körperlich zu erholen. Im Schlaf, bzw. beim träumen verarbeiten Sie auch die Ereignisse Ihres Tages auf psychischer
Ebene.
Im Schlaf passiert aber noch sehr viel mehr: Ihr Immunsystem arbeitet in der Nacht auf Hochtouren, um Antikörper aufzubauen. Das trägt dazu bei, dass sich Ihr Körper besser auf Angriffe von Viren und Bakterien einstellen kann. Und das bedeutet wiederum, Sie werden gesünder und bleiben es auch.
Im Schlaf kann Ihr Körper den körpereigenen Selbstheilungsprozess aktivieren. Ihr Körper wird im Schlaf nicht durch die alltäglichen „Nebensächlichkeiten" wie z.B. Entscheidungen treffen, Informationen verarbeiten oder Leistung bringen, abgelenkt.
Ich gehe später noch genauer auf dieses Thema ein.

- Spannen Sie Ihre Bauchmuskeln an!

Wie ich vorhin schon erwähnte, sind Muskeln fester und schwerer als Fett. Aber zunächst müssen Muskeln erst mal aufgebaut werden. Leider bekommen Sie nicht einfach durch wünschen Muskeln. Keine Angst, Sie müssen nicht ins nächste Fitness-Studio rennen.
Tatsache ist allerdings, dass Fett nur dann verbrennt, wenn Muskeln arbeiten. Gerade in diesem Moment, lasse ich meine Bauchmuskeln arbeiten. Zu Recht fragen Sie sich jetzt, wie ich das mache. Das ist ganz einfach! Egal, wo Sie sich befinden, Sie können so wie ich, Ihre Bauchmuskeln immer im Wechsel anspannen und wieder locker lassen.
Diese Übung können Sie zu Hause bei Ihrer Hausarbeit oder beim Fernsehen machen. Natürlich können Sie auch bei Ihren Erledigungen im Wechsel anspannen und wieder locker

lassen. Achten Sie nur darauf, dass Sie ganz normal weiteratmen.
Machen Sie das mal einen ganzen Tag, und ich garantiere Ihnen, Sie werden einen anständigen Muskelkater bekommen. Das ist dann genau der Moment, wo Sie mit der Übung weitermachen sollten.
Schon nach ein paar Tagen wird Ihnen was fehlen, wenn Sie diese Übung einmal nicht machen. Sie werden schon nach wenigen Wochen bemerken, wie gut Ihre Kleidung wieder an Ihrer Taille sitzt.

- Spannen Sie Ihre Oberschenkel- und Gesäßmuskeln an!

Genau so einfach, wie Sie Ihre Bauchmuskeln straffen, können Sie auch Ihre Oberschenkel und Ihren Po straffen. Dabei ist es vollkommen egal, ob Sie sitzen, liegen, stehen oder gehen. Sie können immer und überall Ihre Bauch-, Bein- und Po-Muskeln immer im Wechsel anspannen und wieder locker
lassen.
Wenn Sie sich in der Leichtathletik etwas auskennen, sind Sie doch bestimmt mit der Disziplin „Gehen" vertraut. Sie wissen schon, wo die Athleten so komisch mit dem Hintern wackeln. Ist Ihnen schon einmal aufgefallen, wie dünn alle „Geher" sind? Das liegt ganz einfach daran, das Gehen mit angespannten Bauch-, Bein- und Po-Muskeln sehr effektiv Fett verbrennt.
Probieren Sie es doch einfach selbst aus. Sie werden erstaunt sein, wie vielen Ihrer Mitmenschen eine Veränderung an Ihrem Körper auffällt. Glauben Sie mir, nichts ist mehr Balsam für Ihre Seele als die Frage, ob Sie abgenommen haben.

- Benutzen Sie die Treppe!

In unserer heutigen Gesellschafft wird uns alles so angenehm wie möglich gemacht. Heutzutage ist es sehr leicht, mit Hilfe von Fahrstühlen von einer Etage in die nächste zu gelangen. Allerdings muss ich Ihnen eine Tatsache offenbaren: Jede Annehmlichkeit hat ihren Preis! Wie weniger Sie sich anstrengen müssen, umso mehr kleine „Polster" lagern Sie in Ihrem Körper ein, und somit werden Sie leider auch immer dicker.

- Haben Sie Geduld mit sich selbst!

Sie kennen bestimmt die ganzen Sprüche über Geduld, oder? Sie haben bestimmt schon einmal gehört, dass Rom auch nicht an einem Tag erbaut wurde, hab ich Recht? Ihnen ist bestimmt auch der Spruch: „Gut Ding will Weile haben" bekannt, stimmt es?

Nun, das sind nicht nur leere Redewendungen, wissen Sie? Sie müssen sich immer vor Augen halten, dass Sie eine Veränderung an Ihrem Körper vornehmen. Und jede Veränderung braucht Zeit, um wirklich dauerhaft beständig zu sein.

Denken Sie dabei nur einmal an eine Sylvester-Rakete. Wenn sie einmal angezündet ist, dauert das Lichtspektakel nur wenige Sekunden. Glauben Sie mir, auch wenn es eine gewisse Zeit dauert, bis Sie Ihren Traumkörper haben, dieser tolle Körper wird Ihnen sehr, sehr lange erhalten bleiben. Sie werden auch mit jedem Zentimeter, den Sie an Umfang verlieren, immer zufriedener werden. Damit fühlen Sie sich dann auch attraktiver. Vielleicht steigert das auch Ihr Selbstwertgefühl nachhaltig.

- Glauben Sie an sich und Ihren Erfolg!

Sie werden garantiert auf Ihrem Weg zu einem straffen Körper an den Punkt kommen, wo Sie sich denken, die ganze Mühe bringt doch nichts. Vertrauen Sie mir, es lohnt sich! Wenn es sonst keiner tut, dann muntern Sie sich selbst auf, indem Sie bedenken, wie Sie noch vor 1 Jahr ausgesehen haben und wie Sie jetzt aussehen. Denken Sie sich immer: *„Ich bin noch nicht da, wo ich sein will. Ich bin aber auch nicht mehr da, wo ich einmal war. Ich bin auf dem Weg, und das ist gut so!“*
Sie werden spüren, wie Ihnen dieser Gedanke neue Zuversicht gibt. Wenn Sie so wie ich sind, werden Sie die Zähne erneut zusammen beißen und weiter an Ihrem Traumkörper arbeiten. Glauben Sie mir, Sie können alles schaffen, was Sie schaffen müssen!

Ich glaube an Sie! Sie sind schon zu weit gekommen, um jetzt noch aufzugeben!
Machen Sie sich keine Vorwürfe, wenn Sie nicht jeden Punkt eins zu eins umsetzen. Ich halte mich schon seit ca. zwei Jahren an meine eigenen Tipps, und trotzdem habe ich auch Phasen, wo ich alles ein wenig Schleifen lasse.
Das allergrößte Geheimnis für einen straffen Körper ist, ganz einfach:

Geben Sie niemals auf!!!

Und nun wünsche ich Ihnen viel Erfolg und genießen Sie die Reise!

Schlusswort

Mein Dank gilt als erstes Gott, unserem Herrn. Ohne seine Inspiration und Anleitung wäre dieses Handbuch niemals entstanden.
Als nächstes gilt mein Dank meinem Ehemann, der mich während der Ausarbeitung und Niederschrift dieses Handbuches tatkräftig unterstützt hat.
Und nicht zuletzt danke ich Ihnen, lieber Leser, dass Sie sich für mein Handbuch entschieden haben. Ich hoffe, dass ich Ihr Leben ein klein wenig bereichern konnte.

In herzlicher Zuneigung

Ihre Manuela Mossell

CPSIA information can be obtained
at www.ICGtesting.com
Printed in the USA
BVHW041007120419
545355BV00018B/1589/P